Q

Wolf Biermann

Die Drahtharfe

Balladen Gedichte Lieder

Verlag Klaus Wagenbach Berlin

61.–68. Tausend 1972
© 1965 Verlag Klaus Wagenbach Berlin
Frontispizzeichnung von Ronald Paris
Satz und Druck Poeschel & Schulz-Schomburgk, Eschwege
Einband Klemme & Bleimund, Bielefeld
Schrift Korpus Linotype-Garamond-Antiqua
Printed in Germany. Alle Rechte vorbehalten
ISBN 3 8031 0009 7

Inhalt

Die Buckower Balladen

Portraits

Berlin

04295

Beschwichtigungen und Revisionen

Die Buckower Balladen

Erster Mai
Von Kindern auf dem Dorf zu singen

Der Erste Mai ist schön
Da kann man Leute sehn
Der Konsum bestellt Bockwurst
Und hundert Kasten Bier
Studenten sind auch hier
Die kommen aus der Stadt
(Wo man sowas *hat*)

Der Erste Mai ist neu
Da gibt es noch kein Heu
Die Kühe fressen Haferstroh
Am Kuhstall ist die Losung rot
mit weißer Schrift geschrieben:
Im Kuhstall wird die Milch gemacht,
die Butter und der Frieden.
    Die Butter und der Friehieden.

Die Ballade vom Drainagenleger Fredi Rohrsmeisl aus Brüchow

[Gitarre]

Das ist die Ballade von Fredi Rohrsmei-sel Drainageleger of den Äckern

Summ ich diesel hoch bis zum Bauche, sein Häuschen links am

Fischer- keiten Bei Lene Kuczinski w

Tanz, er hat auseinandge- tanzt mit seiner Verlobten das war verboten. N

und schön Zinge ich Und Menschen schon tanzen selm

Zinge das war manchmal schon nicht mehr schön ABER
(gesprochen ...

(5 Strophen)

NÜTZT UNS DAS? (Ja...)
Schadet NEIN!
gesprochen)

das ist a° im 1. Bund

Die Ballade von dem Drainage-Leger
Fredi Rohsmeisl aus Buckow

1
Das ist die Ballade von Fredi Rohsmeisl
Drainage-Leger auf den Äckern um Buckow
Gummistiefel hoch bis zum Bauch
Sein Häuschen links am Fischerkietz.
Bei Lene Kutschinsky war Tanz
Er hat auseinander getanzt
Mit seiner Verlobten – das war verboten
Na schön . . .

> Junge, ich hab Leute schon tanzen sehn
> Junge, das war manchmal schon nicht mehr schön.
> Aber schadet uns das?
> Nein.

2
Und als er so wild auseinander tanzt
Die Musik war heiß und das Bier war warm
Da hatten ihn plötzlich zwei Kerle am Arm
Und schmissen ihn auf die Taubengasse.
Und schmissen ihn über den Lattenzaun
Und haben ihn in die Fresse gehaun
Und er hatte noch nichts getan
Und hatte den hellblauen Anzug an.

> Junge, ich hab Leute schon schlagen sehn
> Junge, das war manchmal schon nicht mehr schön.
> Aber nützt uns das?
> Nein.

3
Da hat Fredi Rohsmeisl beide verrammt
Zwei links zwei rechts er traf genau
Und waren zwei große Kerle die zwei
Halb Buckow sah ihm zu dabei.
Das Überfallauto kam antelefoniert
Hat Fredi halb tot gehaun
Das haben die Buckower Männer gesehn
Und auch die Buckower Fraun.

> Junge, ich hab Leute schon zusehn sehn
> Junge, das war manchmal schon nicht mehr schön.
> Aber nützt uns das?
> Nein.

4
Dann kriegte er einen Prozeß an Hals
Als Konterrevolutionär
Wo nahm der Staatsanwalt nur das Recht
Für zwölf Wochen Knast her?!
Seitdem frißt ihn ein stiller Zorn
Und nach dem zehnten Bier
Erzählt er Dir seine große Geschichte
Von hinten und auch von vorn.

> Junge, ich hab Leute schon weinen sehn
> Junge, das war manchmal schon nicht mehr schön.
> Aber nützt uns das?
> Nein.

5
Und er findet noch kein Ende
Und er ist voll Bitterkeit
Und er glaubt nicht einen Faden
Mehr an Gerechtigkeit.
Er ist für den Sozialismus
Und für den neuen Staat
Aber den Staat in Buckow
Den hat er gründlich satt.

> Junge, ich hab Leute schon fluchen sehn
> Junge, das war manchmal schon nicht mehr schön.
> Aber nützt uns das?
> Nein!

6
Da gingen einige Jahre ins Land
Da gingen einige Reden ins Land
Da änderte sich allerhand
Daß mancher sich nicht wiederfand.
Und als der zehnte Sputnik flog
Da wurde heiß auseinander getanzt
Der Staatsanwalt war selbst so frei.
Und Fredi sah ihm zu dabei.

> Junge, ich hab Leute sich ändern sehn
> Junge, das war manchmal schoneinfach schön.
> Aber nützt uns das? (Ja.)

Die Ballade von der Buckwer Süßkirschenzeit

Die Ballade von der
Buckower Süßkirschenzeit

Die kleine Kammer unterm Dach
hat Bett und Stuhl und Tisch.
Die Dielen rot und blau die Wand,
das Laken weiß und frisch.

Das war in Buckow zur Süßkirschenzeit.
Die Bäume stehn an der Chaussee.
Das war in Buckow zur Süßkirschenzeit.
Die Bäume gehörn der LPG.
Die hat an jeden ein Zettel gemacht:
DAS VOLKSEIGENTUM WIRD STRENG BEWACHT!
In der Nacht, in der Nacht
und besonders: in der Nacht.

Die Wirtin alt und schrumpelig.
Der Gast ist jung und schön.
Und wenn er aus dem Fenster lehnt,
kann er die Gasse sehn.

Die Gasse in Buckow zur Süßkirschenzeit.
Die Bäume stehn an der Chaussee.
Das war in Buckow zur Süßkirschenzeit.
Die Bäume gehörn der LPG.
Die hat an jeden ein Zettel gemacht:
DAS VOLKSEIGENTUM WIRD STRENG BEWACHT!
In der Nacht, in der Nacht
und besonders: in der Nacht.

Die Gasse ist so sommerstill,
ein alter Mann holt Bier.
Die Mädchen von der LPG
pflücken bis dreiviertelvier ...

    die süßen Kirschen zur Süßkirschenzeit.
    Die Bäume stehn an der Chaussee.
    Das war in Buckow zur Süßkirschenzeit.
    Die Bäume gehörn der LPG.
    Die hat an jeden ein Zettel gemacht:
    DAS VOLKSEIGENTUM WIRD STRENG BEWACHT!
    In der Nacht, in der Nacht
    und besonders: in der Nacht.

Als ich so früh nach Hause kam,
schrie mich ein Bauer an:
»Wir treten unsere Hühner selbst!«
Und bot mir Dresche an.

    Das war in Buckow zur Süßkirschenzeit.
    Die Bäume stehn an der Chaussee.
    Das war in Buckow zur Süßkirschenzeit.
    Die Mädchen gehörn der LPG.
    Die hat an jedes ein Zettel gemacht:
    DAS VOLKSEIGENTUM WIRD STRENG BEWACHT!
    In der Nacht, in der Nacht
    und besonders: in der Nacht.

Die Ballade von den alten Weibern von Bückow

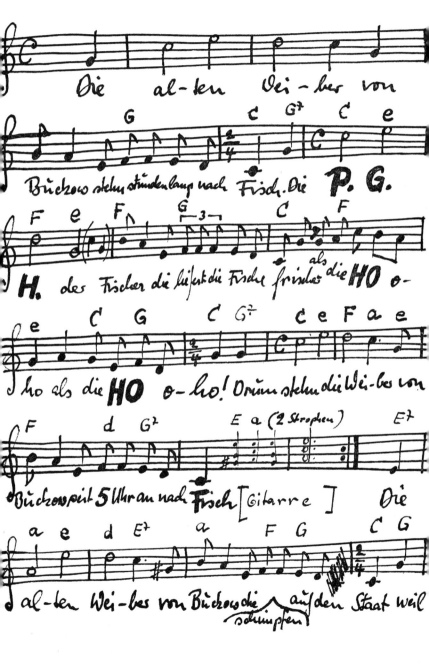

[diese Ballade muß sehr laut gesungen werden, besonders am Anfang. Das letzte "ge--ma---cht" aber sehr lang und leise]

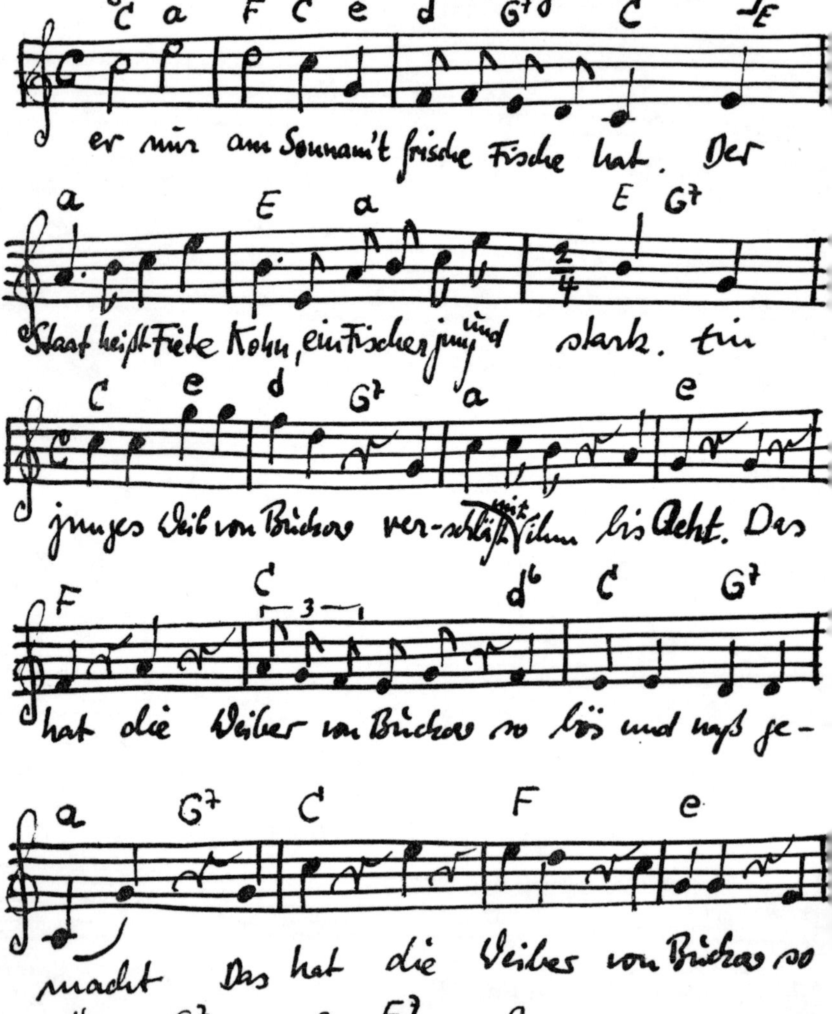

Die Ballade von den
alten Weibern von Buckow

Die alten Weiber von Buckow
stehn stundenlang nach Fisch.
Die PGH der Fischer
die liefert die Fische frischer
als die HO oho – als die HO oho!
Drum stehn die Weiber von Buckow
seit fünf Uhr an nach Fisch.

Die alten Weiber von Buckow
erzähln im Regen sich was.
Von Ratten, Mäusen und Katzen
tun die Weiber schwatzen
und schimpfen auf die HO – und schimpfen auf die HO!
Drum stehn die Weiber von Buckow
seit fünf Uhr an nach Fisch.

Die alten Weiber von Buckow,
die schimpfen auf den Staat,
weil er nur am Sonna'mt
frische Fische hat.
Der Staat heißt Fiete Kohn
ein Fischer, jung und stark.
Ein junges Weib von Buckow
verschläft mit ihm bis acht.
Das hat die Weiber von Buckow
so bös und naß gemacht.

Das hat die Weiber von Buckow
so bös und naß gemacht.

Kleinstadtsonntag

Gehn wir mal hin?
Ja, wir gehn mal hin.
Ist hier was los?
Nein, es ist nichts los.
Herr Ober, ein Bier!
Leer ist es hier.
Der Sommer ist kalt.
Man wird auch alt.
Bei Rose gabs Kalb.
Jetzt isses schon halb.
Jetzt gehn wir mal hin.
Ja, wir gehn mal hin.
Ist er schon drin?
Er ist schon drin.
Gehn wir mal rein?
Na gehn wir mal rein.
Siehst du heut fern?
Ja, ich sehe heut fern.
Spielen sie was?
Ja, sie spielen was.
Hast du noch Geld?
Ja, ich habe noch Geld.
Trinken wir ein'?
Ja, einen klein'.
Gehn wir mal hin?
Ja, gehn wir mal hin.
Siehst du heut fern?

Ja ich sehe heut fern.

Portraits

Herr Brecht

Drei Jahre nach seinem Tode
ging Herr Brecht
Vom Hugenotten-Friedhof
die Friedrichstraße entlang,
zu seinem Theater.

Auf dem Wege traf er
einen dicken Mann
zwei dicke Fraun
einen Jungen.
Was, dachte er,
das sind doch die Fleißigen
vom Brechtarchiv.
Was, dachte er,
seid ihr immer noch nicht fertig
mit dem Ramsch?

Und er lächelte
unverschämt – bescheiden und
war zufrieden.

Hanns Eisler oder
Die Anatomie einer Kugel

Seltene Gelegenheit eines runden Menschen!
Gespalten nicht seine Zunge, noch sein Gehirn.
Auch geht kein Riß zwischen Oben und Unten ihm.
Da, wo bei andern die furchtbar berüchtigte Stelle,
Da, wo den andern so leicht das Kreuz brach,
Wölbet sich mächtig sein fröhlicher Bauch,
Schwingt auf und ab in wildem Gelächter
Über die Dummheit in der Musik nicht allein.
Also verschonte der Große uns mit größeren Worten.

Staunend noch heute, fahren wir Neueren hin und her
Auf diesem winzigen Globus. O Fläche der Kugel!
O wunderbarer Widersinn! Wir finden und finden
Das Ende nicht.

Genosse Julian Grimau

Ach Schwester!
In Madrids Morgengrau
Wenn bei uns die Männer noch schlafen
Stirbt Julian Grimau.

Ach, Bruder!
In Madrids Morgengrau
Wenn bei uns die Sonne aus Blut auftaucht
Stirbt Julian Grimau.

Ach, Mama!
In Madrids Morgengrau
Vor jemand bei uns noch die Zeitung liest
Stirbt Julian Grimau.

Genossen!
In Madrids Morgenrot
Lebt Julian Grimau bei uns!
Er lebt und ist doch tot.

Die Ballade vom Briefträger
William L. Moore aus Baltimore, der
Jahre 63 allein in die Südstaaten wan-
derte. Er protestierte gegen die Verfolgung

E · · · · · · A · · E
SONN-TA-G Sonntag da ruhte William L. Moo[re]

E · · · E · H · H⁷ · E · E
von seiner Arbeit aus · · Er war ein arm[er]

A · · E · E · · · · H · E E
Briefträger nur, in Baltimore stand sein Haus [Gitarre]

A · · · · · · · · · fis-moll
BLACK AND WHITE U — NITE! U — NITE!

A · · fis-moll · · A
stand auf seinem Schild · WHITE AND BLACK DIE

Gis⁷ · cis-moll · A · H⁷
SCHRANKEN WEG! · Und es ging ganz al-

E
-lein

*) der Meyer. Er wurde erschos-
sen nach einer Woche
Drei Kugeln trafen ihn in
die Stirn

Die Ballade von dem Briefträger William L. Moore aus Baltimore,

*der im Jahre 63 allein in die Südstaaten wanderte
Er protestierte gegen die Verfolgung der Neger.
Er wurde erschossen nach einer Woche.
Drei Kugeln trafen ihn in die Stirn.*

SONNTAG

Sonntag, da ruhte William L. Moore
von seiner Arbeit aus.
Er war ein armer Briefträger nur,
in Baltimore stand sein Haus.

MONTAG

Montag, ein Tag in Baltimore,
sprach er zu seiner Frau:
›Ich will nicht länger Briefträger sein,
ich geh nach Süden auf Tour (that's sure)‹
    BLACK AND WHITE, UNITE! UNITE!
    schrieb er auf ein Schild.
    White and black – die Schranken weg!
    Und er ging ganz allein.

DIENSTAG

Dienstag, ein Tag im Eisenbahnzug,
fragte William L. Moore
manch einer nach dem Schild, das er trug,
und wünscht ihm Glück für die Tour.
    BLACK AND WHITE, UNITE! UNITE!
    stand auf seinem Schild ...

MITTWOCH
Mittwoch, in Alabama ein Tag,
ging er auf der Chaussee,
weit war der Weg nach Birmingham,
taten die Füße ihm weh.
BLACK AND WHITE, UNITE! UNITE!

DONNERSTAG
Donnerstag hielt der Sheriff ihn an,
sagte ›Du bist doch weiß!‹
Sagte ›Was gehn die Nigger dich an?
Junge, bedenke den Preis!‹
BLACK AND WHITE, UNITE! UNITE!

FREITAG
Freitag lief ihm ein Hund hinterher,
wurde sein guter Freund.
Abends schon trafen Steine sie schwer –
sie gingen weiter zu zweit.
BLACK AND WHITE, UNITE! UNITE!

SONNA'MT
Sonna'mt, ein Tag, war furchtbar heiß,
kam eine weiße Frau,
gab ihm ein'n Drink, und heimlich sprach sie:
›Ich denk wie Sie ganz genau.‹
BLACK AND WHITE, UNITE! UNITE!

LAST DAY
Sonntag, ein blauer Sommertag,
lag er im grünen Gras –
blühten drei rote Nelken blutrot
auf seiner Stirne, so blaß.
BLACK AND WHITE, UNITE! UNITE!
steht auf seinem Schild.
White and black – die Schranken weg!
Und er starb ganz allein.
Und er bleibt nicht allein.

Ballade auf Frau Villon

Ballade auf den Dichter François Villon

1

Mein großer Bruder Franz Villon
Wohnt bei mir mit auf Zimmer
Wenn Leute bei mir schnüffeln gehn
Versteckt Villon sich immer
Dann drückt er sich in' Kleiderschrank
Mit einer Flasche Wein
Und wartet bis die Luft rein ist
Die Luft ist nie ganz rein

Er stinkt, der Dichter, blumensüß
Muß er gerochen haben
Bevor sie ihn vor Jahr und Tag
Wie 'n Hund begraben haben
Wenn mal ein guter Freund da ist
Vielleicht drei schöne Fraun
Dann steigt er aus dem Kleiderschrank
Und trinkt bis morgengraun

Und singt vielleicht auch mal ein Lied
Balladen und Geschichten
Vergißt er seinen Text, soufflier
Ich ihm aus Brechts Gedichten

2

Mein großer Bruder Franz Villon
War oftmals in den Fängen
Der Kirche und der Polizei
Die wollten ihn aufhängen
Und er erzählt, er lacht und weint
Die dicke Margot dann
Bringt jedesmal zum Fluchen
Den alten alten Mann

Ich wüßte gern was die ihm tat
Doch will ich nicht drauf drängen
Ist auch schon lange her
Er hat mit seinen Bittgesängen
Mit seinen Bittgesängen hat
Villon sich oft verdrückt
Aus Schuldturm und aus Kerkerhaft
Das ist ihm gut geglückt

Mit seinen Bittgesängen zog
Er sich oft aus der Schlinge
Er wollt nicht, daß sein Hinterteil
Ihm schwer am Halse hinge

3

Die Eitelkeit der höchsten Herrn
Konnt meilenweit er riechen
Verewigt hat er manchen Arsch
In den er mußte kriechen
Doch scheißfrech war François Villon
Mein großer Zimmergast
Hat er nur freie Luft und roten
Wein geschluckt, gepraßt

Dann sang er unverschämt und schön
Wie Vögel frei im Wald
Beim Lieben und beim Klauengehn
Nun sitzt er da und lallt
Der Wodkaschnaps aus Adlershof
Der drückt ihm aufs Gehirn
Mühselig liest er das ›ND‹
(Das Deutsch tut ihn verwirrn)

Zwar hat man ihn als Kind gelehrt
Das hohe Schul-Latein
Als Mann jedoch ließ er sich mehr
Mit niederm Volke ein

4

Besucht mich abends mal Marie
Dann geht Villon solang
Spazieren auf der Mauer und
Macht dort die Posten bang
Die Kugeln gehen durch ihn durch
Doch aus den Löchern fließt
Bei Franz Villon nicht Blut heraus
Nur Rotwein sich ergießt

Dann spielt er auf dem Stacheldraht
Aus Jux die große Harfe
Die Grenzer schießen Rhythmus zu
Verschieden nach Bedarfe
Erst wenn Marie mich gegen früh
Fast ausgetrunken hat
Und steht Marie ganz leise auf
Zur Arbeit in die Stadt

Dann kommt Villon und hustet wild
Drei Pfund Patronenblei
Und flucht und spuckt und ist doch voll
Verständnis für uns zwei

5

Natürlich kam die Sache raus
Es läßt sich nichts verbergen
In unserm Land ist Ordnung groß
Wie bei den sieben Zwergen
Es schlugen gegen meine Tür
Am Morgen früh um 3
Drei Herren aus dem großen Heer
Der Volkespolizei
»Herr Biermann« – sagten sie zu mir –
»Sie sind uns wohl bekannt
Als treuer Sohn der DDR
Es ruft das Vaterland
Gestehen Sie uns ohne Scheu
Wohnt nicht seit einem Jahr
Bei Ihnen ein gewisser
Franz Fillonk mit rotem Haar?
Ein Hetzer, der uns Nacht für Nacht
In provokanter Weise
Die Grenzsoldaten bange macht«
– ich antwortete leise:

6

»Jawohl, er hat mich fast verhetzt
Mit seinen frechen Liedern
Doch sag ich Ihnen im Vertraun:
Der Schuft tut mich anwidern!
Hätt ich in diesen Tagen nicht
Kurellas Schrift gelesen
Von Kafka und der Fledermaus
Ich wär verlorn gewesen
Er sitzt im Schrank, der Hund
Ein Glück, daß Sie ihn endlich holn
Ich lief mir seine Frechheit längst
ab von den Kindersohln
Ich bin ein frommer Kirchensohn
Ein Lämmerschwänzchen bin ich
Ein stiller Bürger. Blumen nur
In Liedern sanft besing ich.«

Die Herren von der Polizei
Erbrachen dann den Schrank
Sie fanden nur Erbrochenes
Das mählich niedersank

Das Barlach-Lied

Ach Mutter mach die Fenster zu
Ich glaub es kommt ein Regen
Da drüben steht die Wolkenwand
Die will sich auf uns legen

>   Was soll aus uns noch werden
>   Uns droht so große Not
>   Vom Himmel auf die Erden
>   Falln sich die Engel tot

Ach Mutter mach die Türe zu
Da kommen tausend Ratten
Die hungrigen sind vorne weg
Dahinter sind die satten

>   Was soll aus uns noch werden
>   Uns droht so große Not
>   Vom Himmel auf die Erden
>   Falln sich die Engel tot

Ach Mutter mach die Augen zu
Der Regen und die Ratten
Jetzt dringt es durch die Ritzen ein
Die wir vergessen hatten

>   Was soll aus uns noch werden
>   Uns droht so große Not
>   Vom Himmel auf die Erden
>   Falln sich die Engel tot

Berlin

Himmelfahrt in Berlin

Die Kinder spielen im Hof so schön
Prinzessin, Mörder und Volkspolizist.
Sie müssen nicht zur Schule gehn,
weil heute Himmelfahrt ist.

Die Kinder spielen im Hof so laut,
behängt mit alten Lappen.
Sie spielen Braut und Kosmonaut
im Himmelsschiff aus Pappen.

Die Kinder spielen so laut und schön,
der Hof wird ein ganzes Theater.
Die dicken Frau'n aus den Fenstern sehn
und warten auf den Vater.

Meine Mietskasernenbraut

Meine Mietskasernenbraut
wohnt im sechsten Stock.
Wenn's unten in der Stadt noch graut,
steht oben schon die Sonne.

Meine Mietskasernenbraut
schläft bei offenem Fenster.
Tauben fressen auf dem Sims
mein Brot von gestern abend.

Meine Mietskasernenbraut
hat ein großes Herz.
Bin ich einsam, macht sie gern
mit mir einen Scherz.

Zu der Mietskasernenbraut
führen hundert Stiegen.
Wenn Dich das nicht müde macht,
darfst Du bei ihr liegen.

Meine Mietskasernenbraut
braucht ein' Ehemann.
Doch kommt wieder nur ein Mann,
dann kommt's ihr nicht
dann kommt's ihr nicht
dann kommt's ihr nicht darauf an.

Brigitte

Ich ging zu dir
dein Bett war leer.
Ich wollte lesen.
und dachte an nichts.
Ich wollte ins Kino
und kannte den Film.
Ich ging in die Kneipe
und war allein.
Ich hatte Hunger
und trank zwei Spezi.
Ich wollte allein sein
und war zwischen Menschen.
Ich wollte atmen
und sah nicht den Ausgang.
Ich sah eine Frau
die ist öfters hier.
Ich sah einen Mann
der stierte ins Bier.
Ich sah zwei Hunde
die waren so frei.
Ich sah auch die Menschen
die lachten dabei.
Ich sah einen Mann
der fiel in den Schnee
er war besoffen
es tat ihm nicht weh.
Ich rannte vor Kälte
über das Eis
der Straßen zu dir
die all das nicht weiß.

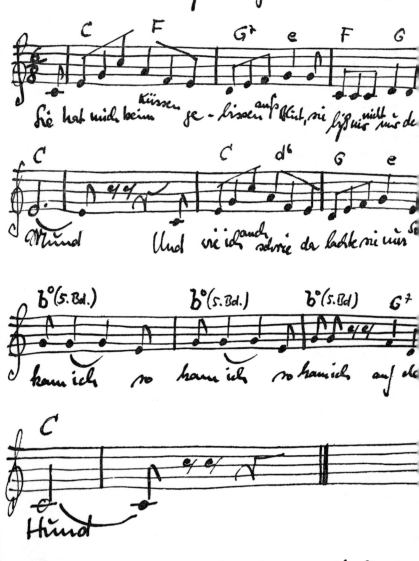

Ballade von der beißwütigen Barbara

Sie hat mich beim Küssen gebissen aufs Blut
Sie biß mir nicht nur den Mund.

Und wie ich auch schrie – da lachte sie nur.
So kam ich
        auf den Hund.

Ich briet ihr ein Beefsteak mit Pfeffer und Salz
Für ihren beißgierigen Zahn.

Sie lachte und schmiß es zum Fenster 'raus
Und küßte
        und biß mich dann.

Ich war auf ihr Rad geflochten wie
Ein armer Küsseklau.

Sie lachte ja nur und sie brach mir so wild
Die Glieder
        die schlimme Frau.

Es hatte mein armer geschundener Leib
Kein heiles Stück Haut und kein Fett.

Doch als ich ihr sagte: bye bye, mein Kind,
Da biß sie
        in ihr Bett.

Die Wunden sind lange ausgeheilt.
Mich liebt jetzt die sanfte Marie.

Doch wenn ich Marie im Arme halt,
Dann denk ich
DANN DENK ICH
Dann denk ich

nicht an Marie.

Beim Hals- Nasen- Ohren-Arzt

Lauter Hälse.
Ein ovales Haselnußgesicht
schaut unter den Haaren zu mir herüber.
Durch die vielen Hälse und Nasen und Ohren hindurch
finden sich unsere Augen.

Kühle, so heißt der Schleier
durch den sich die Lust
der Augen verbirgt.

Der Himmel hängt voller Mandeln
Mandelkuchen
Mandelbaum
Mandelbrennerei
Mandelaugen
Mandeloperation
Fernandel.

Reim-Trauma

Eine zähe Menschentraube
klebte fest am Neunerbus,
und du trugst die weiße *Haube*,
die man jetzt oft waschen muß.
Und mein Mund ist ganz zerschlissen
von dem vielen Liebesweh.
Jeder Kuß hat eingerissen
eine Wunde. Und ich seh:
Straßenstaub auf deiner *Haube*,
und ich *glaube* in der *Laube*
raube ich
dir noch mancher *Traube* Saft
um zu waschen meine Wunden.

Doch jetzt kommt der Neunerbus
den man auch mal waschen muß.

Frühzeit

Heute morgen, als ich noch wohlig im Bett lag
riß mich ein grober Klingler aus dem Schlaf.
Wütend und barfuß lief ich zur Tür und öffnete
meinem Sohn, der
da Sonntag war
sehr früh nach Milch gegangen war.

Die Zufrühgekommenen sind nicht gern gesehn.
Aber ihre Milch trinkt man dann.

Berlin

Berlin, du deutsche deutsche Frau
Ich bin dein Hochzeitsfreier
Ach, deine Hände sind so rauh
von Kälte und von Feuer.

Ach, deine Hüften sind so schmal
wie deine schmalen Straßen
Ach, deine Küsse sind so schal,
ich kann dich nimmer lassen.

Ich kann nicht weg mehr von dir gehn
Im Westen steht die Mauer
Im Osten meine Freunde stehn,
der Nordwind ist ein rauher.

Berlin, du blonde blonde Frau
Ich bin dein kühler Freier
dein Himmel ist so hunde-blau
darin hängt meine Leier.

Beschwichtigungen und Revisionen

Antrittsrede des Sängers

Die einst vor Maschinengewehren mutig bestanden
fürchten sich vor meiner Guitarre. Panik
breitet sich aus, wenn ich den Rachen öffne und
Angstschweiß tritt den Büroelephanten auf den Rüssel
wenn ich mit Liedern den Saal heimsuche, wahrlich
Ein Ungeheuer, eine Pest, das muß ich sein, wahrlich
Ein Dinosaurier tanzt auf dem Marx-Engels-Platz
Ein Rohrkrepierer, fester Kloß im feisten Hals
der Verantwortlichen, die nichts so fürchten wie
Verantwortung.
     Also
          hackt ihr den Fuß euch lieber ab
als daß ihr ihn wascht?! Verdurstet ihr lieber
als daß ihr den Bittersaft meiner Wahrheit trinkt?!
Mensch!
     Schnallt Euch die Angstriemen von der Brust!
Und wenn Ihr fürchtet das Herz möcht Euch herausfalln
Mensch!
     So lockert die Fessel um zwei drei Löcher zumindest
Gewöhnt die Brust an freies Atmen, freies Schrein!
Gepreßt seid nur von innerm Druck und nicht von äußerm!
Mit offner Stirn laß uns dem Tag eins machen!
Nicht hinterhältig unsre großen Träume durchs Schnupftuch
in die Welt zu schneuzen, sind wir geborn, Idiot!
Des Aufruhrs und der Freiheit Kinder sind ja unsre Väter selbst.
So laßt uns unsrer Väter wahre Söhne sein: respektlos
aufkrempeln die Schlotterhemden und singen!
               schreien!
                  unverschämt
                     lachen!

Jahrmarkt am Rhein

Meine Soldaten schießen am besten
sagt der General.
Im Sommerkrieg
liegen sie zwischen Blumen
und treffen die Menschen.
Auf dem Weihnachtsmarkt
stehen sie zwischen Menschen
und treffen die Blumen.
Die abgeschossenen Menschen
sammelt der Tod.
Die abgeschossenen Blumen
sammelt das Mädchen.

Das Farnkraut schießt in die Höhe.
Mein Sohn schießt in die Höhe.
Es!
Ja, *es* steht unter Naturschutz.

Wann endlich schützt *uns* unsere Natur,
daß wir nicht erschossen werden
von unsresgleichen?

Spielzeug

Mit der Eisenbahn
lernen wir
zur Oma fahrn.
Das macht Spaß
Mit der Puppe
essen wir
gerne unsere Suppe
Das macht Spaß
Mit dem Ball
schmeißen wir
Peters Bären um
der ist dumm
Mit den Muschikatzen
lernt der Paul
die Anne kratzen
Das macht Spaß
Mit dem Panzer lernen wir:
Wie man
Eisenbahn,
Puppe, Suppe,
Ball und Bär,
Muschikatzen
und noch mehr
Anne, Pappa,
Haus und Maus
einfach kaputt macht.

Das Familienbad

Jeden Samstag geht der nette fette Vater
einen Eimer Kohlen holen
aus dem Keller für das Bad
daß er sau
        daß er sau
daß er saubre Kinder hat.

In die weißlackierte Eisen-
badewanne mit den Flecken
tut der Vater jeden Sonna'mt
seine Kinder stecken.
Nach den Kindern seine Frau
und er selber ist für Sau-
berkeit, setzt sich auch mit rein
fein   fein   rein
    Jeden Samstag geht der nette fette Vater
    einen Eimer Kohlen holen
    aus dem Keller für das Bad
    daß er sau
            daß er sau
    daß er saubre Kinder hat.

Und er spielt mit seiner Frau,
blaues blaues Mittelmeer.
Er war in den vierzigeeer
Jahren ein paar Wochen da
als Major von Adolf Hitleeer
und jetzt spielt er Militär
mit der Frau im Mittelmeer
Mittel-   Mittel-   Meer.

Jeden Samstag geht der nette fette Vater
einen Eimer Kohlen holen
aus dem Keller für das Bad
daß er sau
        daß er sau
daß er saubre Kinder hat.

P l ö t z l i c h kommt ein Hai daher,
plötzlich ist die Frau nicht mehr.
Und das Badewasser rötet
sich, wenn Vater tötet.
Und am nächsten Morgen wachen
seine Kinder auf und machen
leis die Tür zum Bade auf:
Da liegt ein satter Hai
Mutter ist nicht mehr dabei.
   ist nicht mehr
     nicht

Letzte Variation über das alte Thema

Da mitten in Deutschland Steck ein! Steck tot!
Der Brüller Der Mörder Der Schnitter O Gott!
Ins Gas, mein Gott
Kein Mensch ist verlorn Seid milde im Urteil!
Seid milde! Seid milde, Bürger, Christen!
Der Adolf Hitler hat seinen Hund geliebt
Der Adolf Eichmann liebte eine Jüdin, der Gute

Wer kappte Deutschlands Rosen die Köpfe nach 45?
Röslein Röslein Röslein rot
Daß du ewig denkst an mich.
Jetzt aber legen die Ruin-Generale
Die Ruinen-Generale
O Deutschland der bleichen Mutter
Einen Gürtel um die blutige Taille
Und ich wills nicht leiden
Und *ich* wills *nicht* leiden!

Alles und alles wird fehlen:
Die Suppe im Topf
Das Salz in den Tränen
Die Tränen im Auge
Das Auge im Kopf
Der Kopf am Rumpf
Und fehlen wird der Tod, ja
Selbst der Tod krepiert
Da wird nichts zum Sterben mehr da sein
Des Todes Hoffnung ist dem Volk entrückt

Erbarmt euch des Todes
Menschen erbarmt euch
Rettet die Chance euch zu sterben
Zumindest

Über das Elend der Philosophie

Die deutsche Sprache ist geistiger.
Die Probleme der Deutschen sind geistiger.
Die Philosophie war der flinke Hinkefuß unseres Volkes.
Die Philosophie wird uns das Fliegen beibringen.

Deutsche! Das schlechte Gewissen
treibt eure Philosophen in die Fabriken,
da dringt ihnen Ruß in die Zimmerluftlungen.
Und kommt ihre rechte Hand unter den Hammer,
lernen sie schnell schreiben mit der Linken.
Wird die Linke abgequetscht unter der Fräse,
schreiben sie mit dem Mund.

Die Theorie – Lob und Schande –
steht nackt und verschämt
auf dem Sockel der Nation,
mit abgeschlagenen Händen,
altjüngferlich und schön.

Die Krähen

Erhob sich der Krähen Geschwader schwarzes Tuch
in den blassen Abendhimmel sodann, ach!
hackten die tausend verzauberten Hexen
Dem Himmel sein rotes Auge aus.

Krähe, wohin fliegst du?
 – Wo alle hinfliegen, ins Feld, ins Feld.

Krähe, wo ruhest du aus?
 – Wo alle ruhen, im Baum, im Baum.

Krähe, wann schreist du so laut?
 – Wenn alle schreien, schrei ich.

Krähe, wann frißt du die Saat?
 – Wenn sie gesäet ist.

Krähe, wann stirbst du allein?
 – Wenn alles stirbt, im Schnee, im Schnee.

Erhob sich also der Krähen Geschwader schwarzes Tuch
in den blassen Abendhimmel sodann, ach!
hackten die tausend verzauberten Hexen
Dem Himmel sein blutrotes Auge aus.

Derlei sah ich oft, Genossen, in diesen Tagen.

Tischrede des Dichters

Dank Euch, Genossen
Ihr wollt mich glücklich sehn.
Glückliche Menschen
solln mir durch die Augen gehn.

In meinen Liedern wollt Ihr
erhoben hörn den kurzen Ton
der Seligkeit. Den Diamant
den kleinen
wollt Ihr zum Bergmassiv
von mir vergrößert haben.

Ich soll den Augenblick der größten Lust
Euch in den mittäglichen Eintopf kochen.
Ihr schreit nach dem roten Wunder-Koch
Und wenn ich meine reichen Speisen Euch:
Kartoffeln
Beefsteak
Ananas
Oliven
Weißbrot
Knoblauch
Feingewiegte Kerbel
Und wenn ich meine Butteräpfel Euch
aus dem Ofen hole
Dann schreit Ihr mich an
        Ihr Fresser!

Dann haut Ihr mir den Spargel um die Ohren
und schreit nach
    Eintopf!
    Glückseintopf!
Jeder Löffel
    – ungeteilte Freude
Jeder Schmatzer
    – ungeteiltes Glück.
Also stürzt Ihr lieber Euch über die Bottiche
der schlechten Köche
Also schmatzt Ihr lieber Schweinefraß
und werdet fett
Und Euer Antlitz, ach, das edle
verformt sich über Trögen

Ich soll vom Glück Euch singen
einer neuen Zeit
doch Eure Ohren sind vom Reden taub.
Schafft in der Wirklichkeit mehr Glück!
Dann braucht Ihr nicht so viel Ersatz
in meinen Worten.
Schafft Euch ein süßes Leben, Bürger!
Dann wird mein saurer Wein Euch munden.
Der Dichter ist kein Zuckersack!
Tut Euch das nicht an, das
von mir abzuverlangen!

Oh, laßt mich jener sein, der
Eurem künftigen Übermaß an Glück
den bittren Tropfen gibt
Gewürz-Gurken, Anchovis
daß Euch die Erdenseligkeit
den Gaumen und das Herz nicht stumpf macht!

Genossen!
Kommt an meinen Tisch!
Ihr! Meine Freunde!
Genossen! Vergeßt meine Worte, zunächst, und kommt!
Wir wollen essen und hernach
auch noch ein bißchen singen.

Warte nicht auf beßre Zeiten

Manchen hör ich bitter sagen
›Sozialismus – schön und gut
Aber was man uns hier aufsetzt
Das ist der falsche Hut!‹
Manchen seh ich Fäuste ballen
In der tiefen Manteltasche
Kalte Kippen auf den Lippen
Und in den Herzen Asche

Wartest du auf beßre Zeiten
Wartest du mit deinem Mut
Gleich dem Tor, der Tag für Tag
An des Flusses Ufer wartet
Bis die Wasser abgeflossen
Die doch ewig fließen

Manche raufen sich die Haare
Manche seh ich haßerfüllt
Manche seh ich in das Wolltuch
des Schweigens eingehüllt
Manche hör ich abends jammern
›Was bringt uns der nächste Tag
An was solln wir uns noch klammern
An was? An was? An was?‹

Wartest du auf beßre Zeiten ...

Manche hoffen, daß des Flusses
Wasser nicht mehr fließen kann
Doch im Frühjahr, wenn das Eis taut
fängt es erst richtig an
Manche wollen diese Zeiten
wie den Winter überstehn
Doch wir müssen Schwierigkeiten
Bestehn! Bestehn! Bestehn –

Warte nicht auf beßre Zeiten
Warte nicht mit deinem Mut...

Viele werden dafür sorgen
daß der Sozialismus siegt
Heute! Heute, nicht erst morgen!
Freiheit kommt nie verfrüht
Und das beste Mittel gegen
Sozialismus (sag ich laut)
ist, daß ihr den Sozialismus
AUFBAUT!!! Aufbaut! (aufbaut)

Wartet nicht auf beßre Zeiten
Wartet nicht mit eurem Mut
Gleich dem Tor, der Tag für Tag
An des Flusses Ufer wartet
Bis die Wasser abgeflossen
Die doch ewig fließen
die doch ewig fließen

An die alten Genossen

1

Seht mich an, Genossen
Mit euren müden Augen
Mit euren verhärteten Augen
Den gütigen
Seht mich unzufrieden mit der Zeit
Die ihr mir übergebt.

Ihr sprecht mit alten Worten
Von den blutigen Siegen unsrer Klasse
Ihr zeigt mit alten Händen auf das Arsenal
Der blutigen Schlachten. Voll Eifersucht
Hör ich Berichte eurer Leiden
Vom Glück des Kampfes hinter Stacheldraht
Und bin doch selbst *nicht* glücklich:
Bin unzufrieden mit der neuen Ordnung.

Ihr aber steht enttäuscht
Verwundert
Verwundet
Bitter gegen soviel Undank
Streicht euch verlegen übers schüttre Haar.

2

Die Gegenwart, euch
Süßes Ziel all jener bittren Jahre
Ist mir der bittre Anfang nur, schreit
Nach Veränderung. Voll Ungeduld
Stürz ich mich in die Kämpfe der Klassen, die neueren, die
Wenn schon ein Feld von Leichen nicht
So doch ein wüstes Feld der Leiden schaffen.

3
Ach, viele süße Früchte falln
Uns in den Schoß
Und auf den Kopf noch immer.

Ach, für die Brautnacht mit der neuen Zeit
Ach, für die riesigen Umarmungen
Auch für den tiefsten Liebesschmerz
Ist uns das Herz noch schwach und
Schwach noch sind die Lendenkräfte uns.

So manchen schmalen Jüngling
Erdrückt die große schöne Frau
In hellen Liebesnächten. Ja
Riesen brauchts an Mut und Lust
Und Riesen auch an Schmerz
An Tatkraft Riesen. Und mein Herz:
Rot
Blaß
Voll Haß
Voll Liebe
Ist euer eignes Herz, Genossen!
Ist das ja nur, was ihr mir gabt!

Drum seid mit meiner Ungeduld
Nicht ungeduldig, ihr alten Männer;
Geduld
Geduld ist mir die Hure der Feigheit
Mit der Faulheit steht sie auf Du und Du
Dem Verbrechen bereitet sie das Bett.
Euch aber ziert Geduld.
Setzt eurem Werk ein gutes Ende
Indem ihr uns
Den neuen Anfang laßt!

Rücksichtslose Schimpferei

1
Ich Ich Ich
bin voll Haß
bin voll Härte
der Kopf zerschnitten
das Hirn zerritten

Ich will keinen sehn!
Bleibt nicht stehn!
Glotzt nicht!
Das Kollektiv liegt schief

Ich bin der Einzelne
das Kollektiv hat sich von mir
i s o l i e r t
Stiert mich so verständnisvoll nicht an!
Ach, ich weiß ja schon
Ihr wartet mit ernster Sicherheit
daß ich euch
in das Netz der Selbstkritik schwimme

Aber ich bin der Hecht!
Ihr müßt mich zerfleischen
zerhacken, durchn Wolf drehn
wenn ihr mich aufs Brot wollt!

2
Ja, wenn ich zahnlos wäre
nenntet ihr mich reif

Wenn ich bei jeder fetten Lüge
milde lächeln würde
wär ich euch der Kluge

Wenn ich über das Unrecht hinweggehn würde
wie ihr über eure Frauen hinweggeht
– ihr hättet mich schon längst
in euer Herz geschlossen

3
Das Kind nicht beim Namen nennen
die Lust dämpfen und
den Schmerz schlucken
den goldenen Mittelweg gehen
am äußersten Rande des Schlachtfelds
den Sumpf mal Meer, mal Festland nennen
das eben nennt ihr
V e r n u n f t
Und merkt nicht, daß eure Vernunft
aus den Hirnen der Zwerge
aus den Schwänzen der Ratten
aus den Ritzen der Kriechtiere
entliehen ist? Ihr
wollt mir den Kommunismus predigen
und seid die Inquisition des Glücks. Ihr
zerrt die Seelen auf den Feuerpfahl. Ihr
flechtet die Sehnsucht auf das Rad. Ihr!
Geht mir weg mit euren Schwammfressen!
Geht beleidigt und entrüstet!
Geht mit Kopfschütteln über meine falsche Haltung
aber *Geht*!

4
Ich will beharren auf der Wahrheit
ich Lügner

5
Ich habe euch lieb
Hier habt ihr den Schrieb
schwarz auf weiß
ich liebe euch heiß
aber jetzt laßt mich bitte allein sein
auf der schiefen Linie
getrennt vom Kollektiv
Ich liege eben schief
Ich lieg bei meiner Frau
und die kennt mein Herz

Die Ballade von dem Mann, der sich
eigenhändig beide Füße abhackte

A · A · A

Es war einmal ein Mann Der trat mit seinen

A · A · A · E⁷

Füß Mit seinem einen Fuß in ei-nen Scheiß-h...

A · A · A

-fen Er ekel-te sich sehr er

A · A · A · A

wollt mit diesem Fuß Mit seinem nackten Fuß Kein

E⁷ · A · B

Stück mehr weiter gehn [Gitarre] Und Wasse...

[usw. usw. es geht dann immer einen ganzen
Tonschritt höher!

Ballade vom Mann*

Es war einmal ein Mann
der trat mit seinem Fuß
mit seinem nackten Fuß
in einen Scheißhaufen.

Er ekelte sich sehr
vor seinem einen Fuß
er wollt mit diesem Fuß
kein Stück mehr weiter gehn.

Und Wasser war nicht da
zu waschen seinen Fuß
für seinen einen Fuß
war auch kein Wasser da.

Da nahm der Mann sein Beil
und hackte ab den Fuß
den Fuß hackte er ab
in Eil mit seinem Beil.

Die Eile war zu groß
er hat den saubern Fuß
er hat den falschen Fuß
in Eile abgehackt.

Da kriegte er die Wut
und faßte den Entschluß
auch noch den andern Fuß
zu hacken mit dem Beil.

* der sich eigenhändig beide Füße abhackte

Die Füße lagen da
die Füße wurden kalt
davor saß kreideweiß
der Mann auf seinem Steiß.

Es hackte die Partei
sich ab so manchen Fuß
so manchen guten Fuß
abhackte die Partei.

Jedoch im Unterschied
zu jenem obigen Mann
wächst der Partei manchmal
der Fuß auch wieder an.

Selbstportrait
an einem Regensonntag in der Stadt Berlin

Ausgerüstet mit den Messern der Vernunft bin ich
Kühle Logik leitet meine Kugeln um die Ecken
Hochmut und Sophistik glätten mir die Straßen
Unerbittlich foltern frecher meine Zweifel
Und nervöser diese satte Steinestadt
Sicher schwimm ich auch in ihren Abgewässern
Und mein Hohn steigt höher als die Gittertürme
Käuflich bin ich für die Währung barer Wahrheit
In den Bunkern meiner Skepsis sitz ich sicher
Vor dem Strahlenglanz der großen Finsterlinge
Und der Haß von gestern schützt mich vor dem Sturm
Von morgen. Nehmt zur Kenntnis: Ich bin ausgerüstet

Und doch bin ich ausgeliefert, oftmal bin ichs
Immer wieder lieg ich da, frisch geschlachtet
Aufgerissen unterm wüsten Himmel dieser Gegend
Schlachterhaken schieben sich in meinen Bauch
Walfangmutterschiffe schwimmen mir im Auge
Auf der Zunge liegt mir Hoffnung Hoffnungsloser
Matt verströmen meine wilden Träume endlich
Auf der Schlachtbank eurer Schulen und Büros
Wurstmaschinen schlucken gierig meine Reste
Hungrig harrt das Land am Rand der Häusermeere
Und die große nasse Stadt leckt sich die Lippen
Nach dem wohlverdienten Sonntagsbraten Biermann

Kunststück!

Wenn ich mal heiß bin Wenn ich mal heiß bin
lang ich mir 'ne Wol-ke run-ter
Und wring sie über mir aus
Kal-te Du-sche

[PFIFF]

Kunststück!
(gesprochen)

Kunststück.

Wenn ich mal heiß bin
Wenn ich mal heiß bin
    lang ich mir ne Wolke runter
    und wring sie über mir aus.
Kalte Dusche.
            Kunststück.

Wenn ich mal kalt bin
Wenn ich mal kalt bin
    lang ich mir die Sonne runter
    und steck sie mir ins Jackett.
Kleiner Ofen.
            Kunststück.

Wenn ich bei ihr bin
Wenn ich bei ihr bin
    schwimmen Wolken mit uns runter
    rollt die Sonne gleich mit.
Das ist Liebe.
            Kunststück.

Wenn ich mal müd bin
Wenn ich mal müd bin
    lang ich mir den lieben Gott runter
    und er singt mir was vor.
Engel weinen.
            Kunststück.

Wenn ich mal voll bin
Wenn ich mal voll bin
        geh ich kurz zum Teufel runter
        und spendier Stalin ein Bier.
Armer Alter.
                Nebbich.

Wenn ich mal tot bin
Wenn ich mal tot bin
        werd ich Grenzer und bewache
        die Grenz zwischen Himmel und Höll.
Ausweis bitte!
                Kunststück.

WOLF BIERMANN, geboren 1936 in Hamburg. Übersiedelte 1953 in die DDR. Regieassistenz und Philosophiestudium. Lebt in Ostberlin.

Von den Texten dieses Bandes entstanden:

1960: *Spielzeug; Brigitte.*

1961: *Beim Hals- Nasen- Ohren-Arzt; Reim-Trauma; Erster Mai, von Kindern auf dem Dorf zu singen; Über das Elend der Philosophie; Jahrmarkt am Rhein; Himmelfahrt in Berlin; Herr Brecht.*

1962: *Das Familienbad; Die Ballade von der Buckower Süßkirschenzeit; Kleinstadtsonntag; Die alten Weiber von Buckow; Die Ballade von dem Drainage-Leger Fredi Rohsmeisl aus Buckow; Meine Mietskasernenbraut; Rücksichtslose Schimpferei; An die alten Genossen; Berlin, du deutsche deutsche Frau.*

1963: *Ballade von der beißwütigen Barbara; Ballade vom Mann...; Kunststück; Frühzeit; Die Krähen; Die Ballade von dem Briefträger William L. Moore...; Genosse Julian Grimau; Warte nicht auf bessre Zeiten...; Tischrede des Dichters; Antrittsrede des Sängers.*

1964: *Ballade auf den Dichter François Villon; Hanns Eisler oder Die Anatomie einer Kugel.*

1965: *Selbstportrait...; Letzte Variation über das alte Thema; Das Barlach-Lied.*

Mit Marx- und Engelszungen. Gedichte, Balladen, Lieder.
   Westberlin 1968
Der Dra-Dra. Die große Drachentöterschau in acht Akten mit Musik. Mit Noten und Illustrationen.
   Westberlin 1970

Schallplatten:

Wolf Biermann, Ost, zu Gast bei Wolfgang Neuss, West.
   Hamburg 1965 (Phillips Nr. 843742 PY)
Vier neue Lieder. Wagenbachs Quartplatte 3. Westberlin 1968
Chausseestraße 131. Zehn Balladen und Lieder.
   Wagenbachs Quartplatte 4. Westberlin 1969

Wolf Biermann
Mit Marx- und Engelszungen
Gedichte, Balladen, Lieder. Mit Noten zu allen Liedern.
Quartheft 31. DM 5.80
Dieser Band reflektiert noch genauer die konkrete politische Situation,
unter der ein marxistischer Autor arbeiten muß: Die Versteinerung
der Fronten und die Rebellion der Neuen Linken gegen den alten Dog-
matismus. Hoffnungen werden gesetzt auf revolutionäre Entwicklun-
gen, denen nicht mehr administrativ beizukommen ist – und Hoffnungen auf die brüderliche Solidarität derer, denen die Utopie der Freiheit mehr wert ist als die tägliche Münze kleiner Freiheiten.

Wolf Biermann   *Der Dra-Dra*
Die große Drachentöterschau in acht Akten mit Musik. Mit Noten
und Illustrationen. Quartheft 45/46. DM 9.80
Eine Geschichte so alt wie Babylon: vom Drachen, dem Dra-Dra,
Drck-Drck, Dro-Dro – Vorbild aller Potentaten bis heute. Fast
ebenso alt die Kulisse: Die Regierten, aufgeboten und verwaltet zur
höheren Ehre der Höheren. Der Held, der Drachentöter, ist neueren
Datums – von jeher waren die Überlebenschancen der Herrschen-
den größter. – Mit viel Jux und Theaterklamauk in Szene gesetzt,
wie es sich für einen so ehrwürdigen Stoff gehört.

Wolf Biermann   *Vier neue Lieder*
Wagenbachs Quartplatte 3. ⌀ 17 cm. DM 8.–
Mit einem zweifarbigen Plakat von Arwed D. Gorella und den Texten der vier Lieder.
»Drei Kugeln auf Rudi Dutschke« – ein ›altes Lied‹ von den Mördern,
die sich freisprechen. »Ermutigung« – ein Lied von unnützer Verbit-
terung und unnützem Schweigen. »Es senkt das deutsche Dunkel...«
– von deutscher Melancholie. »Noch« – das Lied von einem Land,
das still ist. Noch.

Wolf Biermann   *Chausseestraße 131*
Wagenbachs Quartplatte 4. ⌀ 30 cm. DM 19.–
Aus dem Inhalt: Die hab ich satt! / Das Barlach-Lied / Deutschland,
ein Wintermärchen (1. Kapitel) und Ballade auf den Dichter François
Villon / Wie eingepfercht in Kerkermauern / Zwischenlied. – Frühling
auf dem Mont Klamott / Moritat auf Biermann seine Oma Meume in
Hamburg / Großes Gebet der alten Kommunistin Oma Meume in
Hamburg / So soll es sein – so wird es sein.

Rotbücher